文・圖／莉莉・拉洪潔 Lilli L'Arronge
譯者／黃筱茵　副主編／胡琇雅　美術編輯／吳詩婷
發行人／趙政岷　第五編輯部總監／梁芳春
出版者／時報文化出版企業股份有限公司
10803台北市和平西路三段240號七樓
發行專線／(02)2306-6842
讀者服務專線／0800-231-705、(02)2304-7103
讀者服務傳真／(02)2304-6858
郵撥／1934-4724時報文化出版公司
信箱／台北郵政79~99信箱　統一編號／01405937
時報悅讀網／www.readingtimes.com.tw
法律顧問／理律法律事務所　陳長文律師、李念祖律師
Printed in Taiwan
初版一刷／2018年8月3日
行政院新聞局局版北市業字第八〇號
採環保大豆油墨印製

WIR MIT DIR SIND VIER by Lilli L'Arronge
© 2017 Verlagshaus Jacoby & Stuart GmbH, Berlin, Germany
Published by arrangement with Verlagshaus Jacoby & Stuart GmbH
through The Grayhawk Agency

我和你和
他和她

快樂的一家

文·圖／莉莉·拉洪潔 Lilli L'Arronge
譯／黃筱茵

超時尚

超優雅

好時髦唷

肚子好大

肚子更大了

肚子超級大

這是外婆

昏倒　　　努力推　　　高聲叫

喝果汁　　喝咖啡　　喝花草茶　　喝奶

這是嬸嬸

這是叔叔

這是小朋友

這是小寶寶

吱吱喳喳

嘰哩呱啦

嘰哩咕

咿咿呀呀

擦擦身體

吹乾身體　　梳梳頭髮

忙著打理

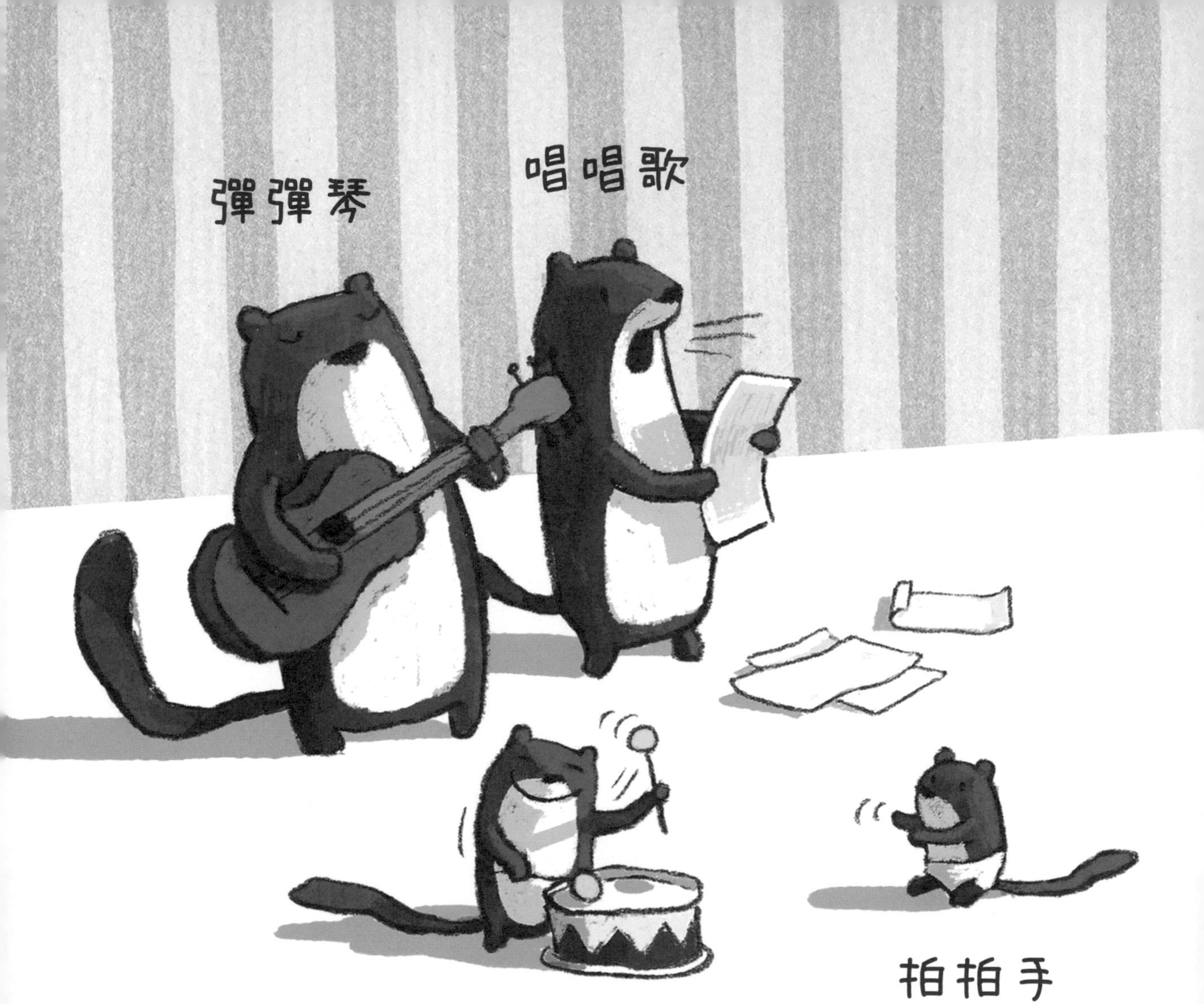

彈彈琴

唱唱歌

打打鼓

拍拍手

細嚼慢嚥

狼吞虎嚥

大聲咀嚼

到處亂噴

穿上夾克　　　繫上圍巾

穿好外套

戴好帽帽

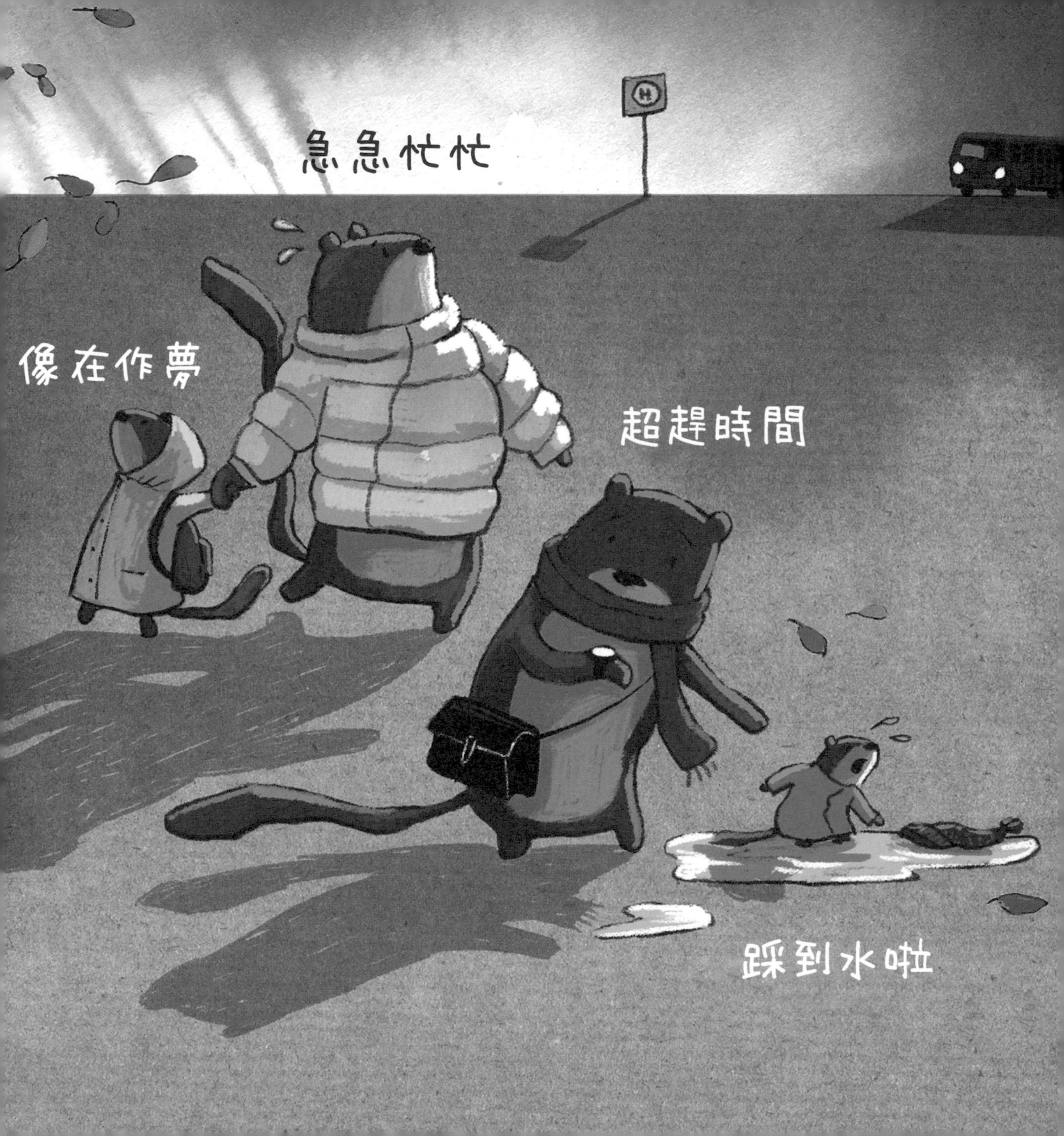
急急忙忙
像在作夢
超趕時間
踩到水啦

看呆了　看呆了

傳簡訊

閱讀

香噴噴　　　　有汗味

超難聞　　　　臭兮兮

照亮大地　　微微發光

燒起來了

一閃一閃

蹦蹦跳跳

搔癢搔癢

大聲歡笑

變得皺巴巴

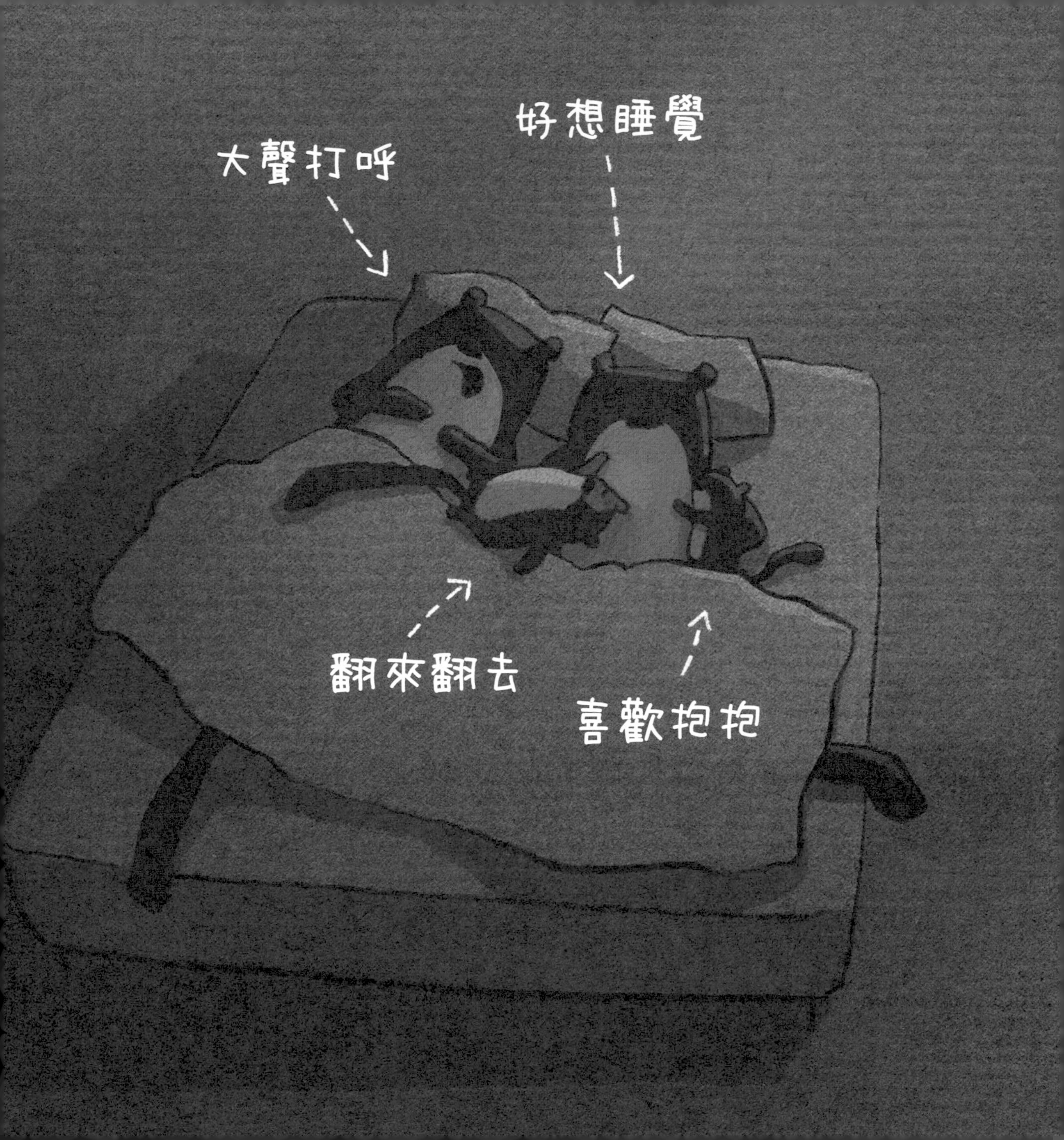
大聲打呼
好想睡覺
翻來翻去
喜歡抱抱

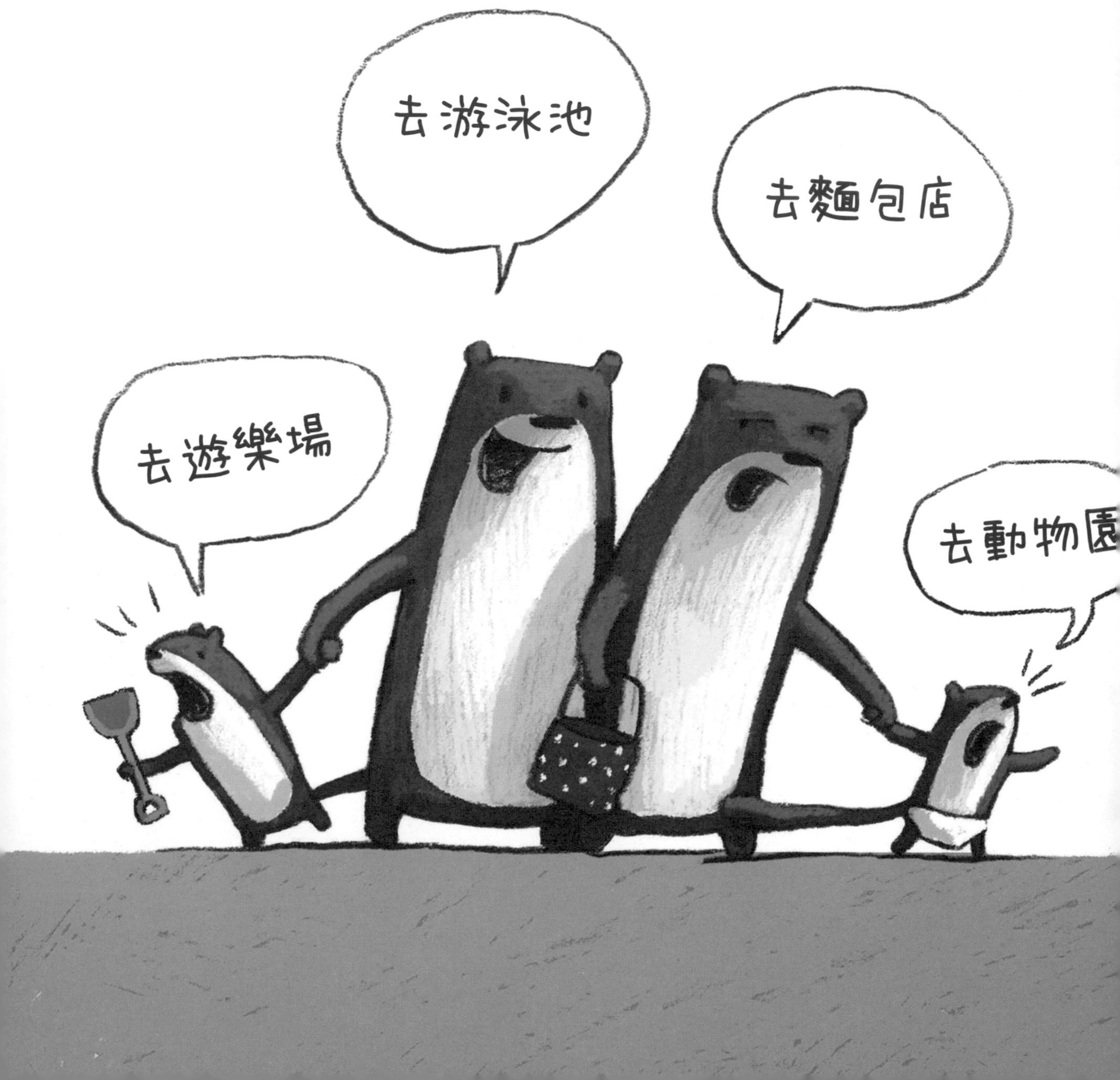
去遊樂場
去游泳池
去麵包店
去動物園

忙著煮飯

忙著掃地

我捏我捏

我打我打

提著籃子

拿著蘑菇

握著樹枝

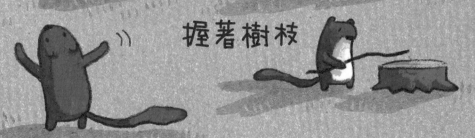

帶著煩惱

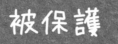

被保護　　有屏障

很安心

不驚慌

大的　　　小的　　　加上更小的

我們這一家